携手共命运　一起向未来

——在中国同中亚五国建交30周年视频峰会上的讲话

（2022年1月25日）

习　近　平

人　民　出　版　社

携手共命运　一起向未来

——在中国同中亚五国建交30周年视频峰会上的讲话

（2022年1月25日）

中华人民共和国主席　习近平

各位同事，各位朋友：

中国人说，三十而立。中国同中亚国家30年的交往合作，立在真诚互信，立在平等互利。

——30年来，我们顺应潮流、讲信修睦。 在互谅互让基础上彻底解决历史遗留的边界问题，使3300多公里的共同边界成为友好、互信、合作的纽带。中国同中亚五国相继建立战略伙伴关系，深化政治互信、互利合作，走出了一条睦邻友好、合作共赢的新路，成为构建新型国际关系的典范。

——30年来，我们携手同行、共谋发展。双边贸易和相互投资增长上百倍，中国—中亚天然气管道、中哈原油管道、中吉乌公路、中塔公路等大项目成功建成，途经中亚的中欧货运班列快速发展。中国同中亚国家共商共建共享，共建“一带一路”在中亚地区开花结果。

——30年来，我们休戚与共、安危共担。积极践行共同、综合、合作、可持续的新安全观，联手打击“三股势力”和跨国有组织犯罪、贩毒，坚决反对外部干涉和策动“颜色革命”，有力维护了共同安全利益和地区和平稳定。

——30年来，我们相知相亲、互融互通。58对友好城市、每年数十万民众常来常往，传承着中国同中亚各国人民2000多年的友谊。在陕西支援抗击疫情的哈萨克斯坦小伙马文轩的一句“我是外国人，但不是外人”，感动了无数中国人。这样的暖心故事汇成了中国同中亚国家人民同甘共苦、心心相印的动人交响曲。

——30 年来，我们相濡以沫、坚守正义。共同捍卫多边主义，在涉及彼此核心利益问题上坚定相互支持，关键时刻挺身而出为对方仗义执言，维护了我们的正当权益和战略利益，促进了国际关系民主化，推动国际秩序朝着更加公正合理的方向发展。

中国同中亚五国 30 年合作的成功密码，在于我们始终相互尊重、睦邻友好、同舟共济、互利共赢。这四项原则是在合作中积累的宝贵经验和共同财富，是中国同中亚国家关系行稳致远的政治保障，也是中国同中亚国家友好交往继往开来的力量源泉。

各位同事、各位朋友！

岁月不居，时光如流。无论国际风云如何变幻，无论未来中国发展到什么程度，中国都始终是中亚国家值得信任和倚重的好邻居、好伙伴、好朋友、好兄弟。中方坚定支持中亚国家走符合本国国情的发展道路，坚定支持各国维护本国主权、独立、领土完整，坚定支持各国追求民族振兴和团结自强，坚定支持各国在国际舞台上发挥更大作用。

中国愿同中亚国家乘势而上，并肩奋斗，携手构建更加紧密的中国—中亚命运共同体。为此，我愿提出5点建议。

第一，深耕睦邻友好的示范田。睦邻友好是中国同中亚国家关系的基础。中方将秉持亲诚惠容理念，加强彼此高层往来和战略沟通，办好“中国+中亚五国”外长会晤等一系列对话合作机制，不断增进团结互信，深化互利合作，实现共同发展、共同繁荣。

我们坚决反对外部势力在中亚搞“颜色革命”，坚决反对以人权为借口干涉别国内政，坚决反对任何势力破坏人民平静生活。不久前，哈萨克斯坦局势突变，造成重大人员伤亡和财产损失。作为友好邻邦，我们坚定支持哈方维稳止暴，并将尽己所能向哈方提供必要支持和帮助。相信在托卡耶夫总统坚强领导下，哈萨克斯坦人民必将迎来国家发展更加美好的未来。

第二，建设高质量发展的合作带。中国愿向中亚国家开放超大规模市场，将进口更多中亚国家优质商品和农产品，继续办好中国—中亚经贸合作论坛，力争到 2030 年将中国同中亚国家贸易额提升至 700 亿美元。中方倡议建立中国—中亚五国电子商务合作对话机制，并适时举办中国—中亚国家产业与投资合作论坛。

疫情背景下，我们将逐步恢复客运航班，建立人畅其行的“快捷通道”，完善物畅其流的“绿色通道”，加快推进中吉乌铁路项目，推进中国—中亚交通走廊建设，让中国同中亚国家的互联互通更加安全高效。我们要确保中国—中亚油气管道稳定运营，加快中国—中亚天然气管道D线建设，扩大能源全产业链合作，促进能源低碳转型。我们要加强人工智能、大数据、云计算等高技术领域合作，让六国人民享受高技术带来的便利。

第三，强化守卫和平的防护盾。和平是地区各国人民的共同企盼。我们要继续打击“三股势力”，深化在边境管控、网络反恐、联合行动等多领域合作，共同筑牢地区安全防护网。

新冠肺炎疫情再次证明，病毒没有国界，人类命运休戚与共。中方愿继续向中亚国家提供疫苗和抗疫物资，加大疫苗和特效药联合生产和技术转让。在此，我宣布，2022年中国再向中亚国家提供5000万剂疫苗援助，并在有需要的国家设立传统医学中心。中方呼吁建立中国—中亚健康产业联盟。

阿富汗是中国和中亚国家共同的邻居和伙

伴。一个和平、稳定、发展、繁荣的阿富汗，符合我们六国共同利益。中方支持阿富汗通过对话协商建立开放包容的政治架构，呼吁国际社会加快实施对阿富汗人道主义援助，鼓励支持阿富汗同恐怖主义划清界限，希望阿富汗同周边国家友好相处。

第四，构建多元互动的大家庭。文明因交流而多彩，因互鉴而发展。我们要建立多元互动的人文交流大格局，加快互设文化中心，积极开展文化遗产对话，继续推进妇女、智库、媒体等领域交流。要加强旅游合作，中方将为中亚国家推介旅游资源搭建平台，愿把五国全部列为中国公民出境旅游目的地国。中方倡议举办中国—中亚民间友好论坛，未来 5 至 10 年努力将中国同中亚五国友好城市增加至 100 对。

青年是国家的未来。今后 5 年中方计划向中亚五国提供 1200 个中国政府奖学金名额，优先在中亚国家增设孔子学院、孔子课堂。我们还要举办中国—中亚青年艺术节、“未来之桥”中国—中亚青年领导人研修交流营等丰富多彩的活动。

北京冬奥会即将开幕，欢迎中亚体育健儿来华竞技、争创佳绩。我们也愿在“相约北京”奥林匹克文化节框架内举办“多彩中亚”线上艺术节。

第五，维护和平发展的地球村。我不久前在联合国大会上提出全球发展倡议，号召合力应对风险挑战，推进联合国2030年可持续发展议程。我愿宣布，未来3年中国将向中亚国家提供5亿美元无偿援助，用于各国民生项目建设；提供5000个研修研讨名额，帮助各国培养卫生健康、减贫惠农、互联互通、信息技术等各领域专业人才，增强发展的内生动力。

各位同事！

中国古人云：“道虽迩，不行不至；事虽小，不为不成。”让我们从六国人民共同福祉出发，赓续友谊，推进合作，共同谱写中国同中亚国家关系更加美好的明天，共同推动构建人类命运共同体。

谢谢大家。

图书在版编目(CIP)数据

携手共命运 一起向未来:在中国同中亚五国建交30周年视频峰会上的讲话/习近平 著. —北京:人民出版社,2022.2

ISBN 978-7-01-024544-7

Ⅰ.①携… Ⅱ.①习… Ⅲ.①习近平-讲话②国际合作-中国、中亚 Ⅳ.①D2-0②D822.336

中国版本图书馆CIP数据核字(2022)第023922号

(RMC-ZJDXI-123-20220125)

携手共命运 一起向未来

XIESHOU GONG MINGYUN YIQI XIANG WEILAI

——在中国同中亚五国建交30周年视频峰会上的讲话

(2022年1月25日)

习 近 平

人民出版社 出版发行
(100706 北京市东城区隆福寺街99号)

北京新华印刷有限公司印刷 新华书店经销

2022年2月第1版 2022年2月北京第1次印刷
开本:880毫米×1230毫米 1/32 印张:0.5
字数:5千字

ISBN 978-7-01-024544-7 定价:2.00元

邮购地址 100706 北京市东城区隆福寺街99号
人民东方图书销售中心 电话 (010)65250042 65289539